3

5
love

GOKHAL

9

12

13
Wil je
Verkering?

14

18

19

Weblog van een antiheld

Annemarie Bon
Met tekeningen van Hélène Jorna

LEESN!VEAU

	ME	ME	ME	ME	ME		
AVI	S	3	4	5	6	7	P
CLIB	S	3	4	5	6	7	8	P

dagboek, verliefd

Toegekend door Cito i.s.m. KPC Groep

1e druk 2007
ISBN 978.90.276.7475.3
NUR 283

Uitgeverij Zwijsen B.V., Tilburg
Vormgeving: Rob Galema

Voor België:
Zwijsen-Infoboek, Meerhout
D/2007/1919/312

Inhoud

maandag 25 december

Anti-Kerstmis

Als je een heilig huisje intrapt, zeg je iets wat eigenlijk niet mag. Ik ga het toch doen. Nee, ik zal het stalletje heel laten, maar verder mag Kerstmis van mij nu al met een knal en een vuurpijl naar de maan.

Voorgoed.

Ja, natuurlijk ben ik anti-Kerstmis vanwege alle dode reeën, herten, konijnen, kalkoenen, eenden, hazen, fazanten, wilde zwijnen, kangoeroes, kippen, koetjes en kalfjes.

En natuurlijk ben ik anti-Kerstmis vanwege alle omgehakte bomen, alle debiele verlichte tuinen en de pretparkglitter waarmee iedereen zichzelf optut. Blijkbaar hebben volwassenen zich niet veel verder ontwikkeld dan kleuters die graag prinsje en prinsesje spelen.

Jaha, als je anti-omgehakte-bomen bent, ben je ook anti-kerstbal. Die maken ze alleen maar zo breekbaar om elk jaar weer nieuwe te kunnen verkopen.

Natuurlijk ben ik ook anti-Kerstmis vanwege het weer; het sneeuwt nóóit met Kerstmis. Kerstkaarten met dikke pakken sneeuw en schaatsende kinderen op het ijs zijn fake. Met Kerstmis is het al lenteweer zolang ik leef.

Verder ben ik net als veel mensen anti-Kerstmis omdat dan alle winkels dicht zijn. Omdat je uren aan een saai kerstdiner moet zitten in een net pak met een strikje om.

Omdat volwassenen zich zo in de stress gewerkt hebben voor dat kerstdiner, dat alle vrolijkheid verdwenen is en er negen van de tien keer ruzie is. Omdat geen van je vrienden bereikbaar is, zelfs niet op msn, omdat die ook aan het kerstdiner zitten in een net pak met een strikje om. Omdat veel mensen op skivakantie gaan en met een been in het gips weer thuiskomen.
Om ál die dingen ben ik anti-Kerstmis, maar de allerbelangrijkste reden is de opkomst van de kerstmuts. Dat debiele kaboutermutsje met een randje wit nepbont en met in het ergste geval zelfs een belletje aan de punt. IEDEREEN loopt ermee: de directeur van mijn school, de postbode, Manolito (dat is de vriend van mijn moeder), de groenteboer op de markt, de juffrouw achter de balie op het gemeentehuis, de kapper, Tarik van de shoarmazaak, de buschauffeur, onze buurman, opa en oma en zelfs mijn beste vriend, Milan. Ik kan die mutsen niet meer zien!

Gisteren vierden we kerstavond met pakjes onder de kerstboom.
Ach, ik hoef niks meer te zeggen. Je snapt zo wel wat ik kreeg.

Ik haat Kerstmis!

maandag 1 januari

Anti-goede-voornemens

Terwijl ze een koude oliebol in haar mond stopte – zonde om te laten liggen – maakte mijn moeder vanmiddag bekend dat ze van plan is in het nieuwe jaar aan de lijn te gaan doen. What's new? Mijn vader had zijn voornemen vannacht al bekendgemaakt, toen hij eindelijk doorkwam met bellen. De lijnen waren niet overbezet, het leek alsof er helemaal geen netwerk wás. Het zal halftwee geweest zijn. Hij wilde stoppen met roken, zéí hij. Volgens mij bedoelde hij dat hij met de sigaret ging stoppen die hij toen aan het roken was onder het mom van 'vuurwerk aansteken'. Dat was vast nog maar een klein peukje. Na zijn telefoontje zou hij er onmiddellijk weer een opsteken met een geweldige nieuwe smoes.
Kan hij daar weer mee stoppen ...

Ik begrijp geen barst van die goede voornemens. Als je iets wilt wat goed is – voor je gezondheid, je humeur, je girorekening, je vrienden, je zelfvertrouwen – kortom: gewoon goed voor je, wat is dan het probleem? Waarom moet je je dat voornemen? Dan dóé je dat toch gewoon? (Iets goeds lijkt me behoorlijk fijn.)
We hadden vandaag een nieuwjaarsreceptie bij opa en oma, dat wil zeggen de ouders van mijn moeder. Ik greep mijn kans en deed onderzoek naar goede voornemens.

'Tja, die wijn is zo lekker,' was het commentaar van oom Karel. Hij hield meer van nú genieten, dan van gezond in de toekomst. Maar ja, hij nam zich zo aan het begin van het nieuwe jaar toch maar voor te minderen.
Mijn neef Jasper vond zichzelf té intelligent voor een wiskundestudie. Volgens hem kunnen té intelligente mensen zich namelijk niet goed concentreren. Zijn intelligente voornemen was het dit jaar toch te proberen met die studie.
Mijn nichtje Sacha maakte het helemaal bont. Zij denkt dat ze een profwielrenster is. 'Aan mijn talent ligt het niet,' zei ze. Ze had een soort handicap! Wat die handicap dan wel niet was? Ze kan 's morgens haar bed niet uit komen en heeft daardoor niet genoeg tijd om te trainen. Anders haalde ze het vast wel tot de nationale kampioenschappen ... *Keep on dreaming*. Of nee, juist niet. Ze nam zich voor dit jaar een extra wekker te kopen. Wat een excuus-nicht. Braak! Smoesjes! Flauwekul! Slappe banden, dát krijg je daarvan.
Hoewel ik anti-goede-voornemens ben, heb ik er zelf toch ook een, namelijk dat ik me niks voorneem. In plaats van me iets voor te nemen, doe ik het meteen.
Simpel toch?
Wat ik ga doen?
Nou, een wereldverbeteraar en een held worden natuurlijk. Ik richt de anti-partij op, eeuwig in de oppositie. Aan de kant voor Super-Michiel. Wat je wilt, dat kún je!

Reactie
Zeg Michiel, een anti-partij bestaat uit mensen die tégen zijn, tegenstanders dus. Veel leden zal jouw partij van tegenstanders dan vast niet krijgen. Want zo iemand is vóór de anti-partij, en niet anti, en dat kan natuurlijk niet.
Een middenstander

Beste middenstander, het klopt wat je zegt. Ik ben niet alleen van de anti-partij, ik ben natuurlijk ook tegenstander van leden. Ik kan het hier op mijn weblog prima alleen af.
Michiel

Gave weblog! Ik ben een voorstander.
Eline

donderdag 4 januari

Nieuwsselectie

Als voorzitter en enig lid van de anti-partij houd ik natuurlijk het nieuws scherp in de gaten. Vandaar dat ik mijn trouwe lezers zo nu en dan een selectie uit het nieuws voorschotel.

<u>Ideaal</u>

Kinderen zijn 'ideale' soldaten: goedkoop, handig en gemakkelijk te beïnvloeden. Ook zijn ze veel minder bang dan volwassenen. Er zijn ongeveer 300.000 kindsoldaten, verspreid over 85 landen. Vier van de tien zijn meisjes. Geen kind gaat vrijwillig in het leger. Ze worden gedwongen en er is geen weg terug. Op vluchten staat vrijwel overal de doodstraf.

Niet alleen als soldaat zijn kinderen ideaal. Ze zijn ook fantastisch voor sommige ouders om er hun agressie op te botvieren. [Michiel]

<u>Naar oma</u>

Gisterochtend vroeg, toen iedereen nog sliep, pakte een vijfjarige kleuter uit Nieuwendijk de autosleutels van zijn ouders. Hij trok de deur achter zich dicht, startte de auto en reed weg. Hij wilde naar zijn oma. Ver kwam hij echter niet. Hij ramde een lantaarnpaal en een schutting, en reed via een plantsoen en een tuin tegen een bejaardenwoning aan. De kleuter mankeerde niets, de auto des te meer. De vijfjarige chauffeur vertelde dat hij de auto wel terug wilde brengen, maar dat de auto niet terug wilde.

Foutje, de verkeerde bejaardenwoning. [Michiel]

Ruimteschroot

Sinds 1957 zijn er ongeveer 4000 raketten en satellieten de ruimte in gestuurd. Inclusief 600 satellieten in werking, cirkelen er om de aarde ongeveer 9000 objecten groter dan 10 cm, 100.000 kleiner dan 10 cm en miljoenen kleiner dan 1 cm. Het meeste ruimteafval bevindt zich binnen 2000 km van de aarde. De snelheid bedraagt gemiddeld 9 km/sec. Dat is supersnel en daardoor gevaarlijk. Een geweerkogel haalt niet meer dan 300 m/sec. Gelukkig is de kans dat je ruimteafval op je kop krijgt volgens deskundigen erg klein.

Best handig dat ruimteschroot, volgens mij. Het is een perfect schild tegen buitenaardse indringers. [Michiel]

Vakantiedump

Veel jongeren gaan het liefst als single op vakantie, zo blijkt uit een onderzoek naar jongerenreizen. Dan kunnen ze probleemloos flirten en scharrelen. Gevolg? Veel jongeren maken vlak voor de vakantie een eind aan hun relatie. Uit het onderzoek blijkt ook dat jongeren het geen stijl vinden om het uit te maken met een sms'je of de zaak te laten doodbloeden.

Maar dan moet je wel iets te dumpen hébben ... [Michiel]

Pitbull

De politie en de Algemene Inspectiedienst hebben in een jaar tijd 405 agressieve pitbullachtige honden in beslag genomen na bijtincidenten en klachten van buren. Zo werd vorige week nog een hap weggebeten uit de wang van een dertienjarige jongen.

Stom dat die jongen niet meteen zijn andere wang aanbood. Een symmetrisch gezicht schijnt beter in de smaak te vallen. [Michiel]

Zoemkoor

Muggenpaartjes vormen zich op het gehoor. Het muggengezoem speelt een belangrijke rol in de communicatie bij de paring. Het gezoem ontstaat door de snel op en neer bewegende vleugeltjes. Mannetjes zoemen op 426 hertz, vrouwtjes iets lager op 415 hertz. Paartjes muggen stemmen hun gezoem onmiddellijk op elkaar af. Het lijkt wel op het gezang van vogels. Muggen herkennen op het gehoor ook of ze met een mannetje of met een vrouwtje van doen hebben.

Date gezocht: ik zoem op 420 hertz, met uitschieters naar 446 hertz. [Michiel]

Mobieltje

Scholen moeten mobiele telefoons binnen de muren van de school verbieden. Scholieren maken steeds vaker foto's en filmpjes van medeleerlingen, die bijvoorbeeld na de gymles onder de douche staan of op de wc zitten. Die beelden worden vervolgens via internet verspreid.

Altijd al vervelend gevonden, dat douchen na de gym. Snap nu waarom. [Michiel]

zaterdag 6 januari

Anti-tweede-leg
Ik ben verliefd.
Inderdaad, de lente is nog niet begonnen, maar toch is het gebeurd. Ik ben op Eline. Ik vond haar al leuk, met haar mooie donkere haren en aan elke vinger wel twee ringen. Maar nu is ze voor mij echt de liefste. Van haar slaat mijn stem over van bewondering.
Eline zit in groep 8a (ik in 8b) en hoe ik zo verliefd geworden ben? Ze heeft een bericht achtergelaten.
Gave weblog, ik ben een voorstander, schreef ze. Lees maar na op 1 januari. Mijn leven kon nu niet meer stuk. Ik ben een held, dacht ik. Maar de werkelijkheid pakte anders uit ...

Het is vandaag de laatste dag van de vakantie. Ik was bij mijn vader. Dat wil zeggen, ik was in zijn kindercrèche. Mijn vader is vier jaar geleden gaan samenwonen met Myrthe. Myrthe had al drie kinderen –Jesse, Claartje en Jonne – en ze zijn samen aan een tweede leg begonnen. Ze hebben er nog twee frummels bij gemaakt: Roel en Loesje. Nooit gemerkt dat mijn vader zo gek op kinderen was ...
Maar goed, het is vandaag 6 januari. Driekoningen dus. Dat wordt hier heel uitbundig gevierd. Kleden om, kroontjes op, lampions mee, een zwart geschminkt kind

en een kameel. Ik moest die kameel zijn. Ik kreeg een masker op, twee bulten op mijn rug en een tas om waar de buit in kon.
'Doe niet zo flauw,' zei mijn vader, toen ik tegensputterde. 'We kunnen die kleintjes niet alleen over straat laten gaan. Veel te donker en veel te gevaarlijk. Ga jij nou maar mee om op te passen. Niemand die je zo herkent.'
Meteen bij het eerste adres ging het mis. Dat grut had al moeite met een lampion vasthouden, laat staan dat het kon zingen. En daar stond ik:
Driekoningen, Driekoningen, geef mij een nieuwe hoed ...
Ik háát zingen.
Bij het tweede adres vloog een lampion in de fik. Bij het derde adres plaste Jesse in zijn broek. Bij het vierde adres kreeg Claartje ruzie met Roel en bij het vijfde adres stond ik recht tegenover Eline. Wat was ik blij dat ik mijn kamelenmasker ophad. Braaf begon ik weer te zingen: *Driekoningen, Driekoningen, geef mij een nieuwe hoed ...*
Stom, ik weet het. Ik viel meteen door de mand met een afschuwelijk gekras en overslaande stem. Zo'n pijnlijk geluid kan alleen ík voortbrengen.
Eline klapte in haar handen. 'Mooi gezongen.' We kregen een zakje drop. 'Dat smeert de keel,' lachte ze.
Ik weet zeker dat het uitlachen was. Ik kan het voortaan wel schudden met haar. Net verliefd en nu al een gebroken hart.
Ik haat tweede-leg-vaders.

vrijdag 12 januari

Anti-antipasta

Pasta is de ultieme wielrennerskost, beweert mijn excuusnicht Sacha. Eigenlijk moet ze natuurlijk haar mond houden, want snurkende wielrensters winnen de Tour de France niet. Maar volgens haar is pasta perfect bij alle sporten waar het op uithoudingsvermogen aankomt.
Sport? Ik? Ja, want voor een echte wereldverbeteraar zijn mijn biceps namelijk nog wat ondermaats. Een held maakt natuurlijk niet alleen indruk met zijn goede ideeën, maar ook met zijn spierballen. Misschien raakt zelfs Eline dan weer in mij geïnteresseerd, dacht ik.
Ik heb halters gekocht van vijf kilogram. Opdrukken en buikspieroefeningen zullen wel zonder apparaten lukken. Ik heb een trainingsprogramma uitgedraaid van internet. Alles in orde dus. Rest mij alleen nog een goed dieet: een pastadieet. Voor één keer heb ik besloten om Sacha te geloven.
Mijn vader kookte gisteren op mijn verzoek Italiaans met pasta in de hoofdrol. Hij sloofde zich geweldig uit.
'Geen pasta zonder antipasta,' zei hij. 'Vooraf krijgen jullie agliata. Een heerlijke Ligurische saus die we eten bij gekookte vleeswaren.'
Het smaakte inderdaad lekker.

Vanmiddag kwam Eline naast me zitten tijdens het

overblijven.
'Jij zit hier zo alleen,' zei ze met zo'n lief lachje dat zelfs beton er nog spontaan van zou smelten.
'Maar nu niet meer,' zei ik, terwijl ik me naar haar toe boog. Onmiddellijk deinsde Eline terug.
'Eh ... ik ... sorry ... even iets vergeten ...'
Weg was ze. Wat was er gebeurd?
Een kwartier later legde Milan me alles uit. Hij kneep daarbij zijn neus dicht.
'Mán, je stinkt op een kilometer afstand uit je bek. Sorry, ik ben weg. Ik bel je later wel.'

Ik heb het nagezocht. 'Aglio' betekent knoflook en 'agliata' knoflooksaus.

woensdag 17 januari

Anti-ingewikkeld

Heb je wel eens goed naar een paperclip gekeken? Dat is een wondertje van eenvoud. Een simpel stukje ijzerdaad, verbogen tot een papierklem. Véél handiger dan nietjes, want wil je die loshalen, dan scheur je geheid het papier kapot. Bovendien lenen paperclips zich uitstekend voor allerlei andere toepassingen. Als sleutelbos, ophangsysteem voor foto's en kaarten, bladwijzer en schakel voor een ketting of armband. Je kunt er puisten mee kapotdrukken, hartjes krassen in een boom (Michiel – Eline) en zelfs het melkstoompijpje van het espressoapparaat kun je ermee schoonpulken bij verstopping. Het bijzonderste vind ik dat je er nog een leuke goocheltruc mee kunt doen ook.

Die lijkt ingewikkeld, maar is het écht niet. Probeer maar.

Vouw een strook papier tot een S (bovenaanzicht dus) en klem die met twee paperclips vast, eentje aan de bovenkant van de S en eentje aan de onderkant. Trek dan aan beide uiteinden van de strook en het wonder geschiedt: de paperclips zitten ineens aan elkaar vast!

Ik houd niet van ingewikkeld.
Neem nou Manolito, de nieuwe vriend van mijn moeder ... Hoewel ik in het begin nog dacht dat hij zo'n type was dat overal tandenborstels achterlaat, is hij sinds een paar maanden bij ons ingetrokken. Hij had zeker iemand nodig om de baas over te kunnen spelen.
Ons huis puilt ondertussen uit van de overbodige, onhandige apparaten en keukengereedschappen. Een knijper om aangebroken pakken mee dicht te maken, waar je zoveel kracht voor moet zetten dat de helft van de tijd het pak uit je handen en de inhoud uit het pak vliegt. (Waarom niet de inhoud in een pot doen?) Een thermometer om de temperatuur te meten van de binnenkant van een stuk vlees dat ligt te braden. (Bah, vlees!) Een brandertje om het suikerlaagje op crème brûlée mee te karamelliseren. (Niemand maakt ooit crème brûlée.) Het toppunt is de snijmachine. Waarom zélf brood snijden als je het gesneden kunt kopen? En dan heb ik het er niet eens over dat die snijmachine zoveel plaats inneemt op het aanrecht dat er geen ruimte meer is om een boterham te smeren. De laatste boterham die ik ermee sneed, hoefde ik trouwens niet meer te beleggen. Die zag rood van het bloed. Zo'n snijmachine maakt niet alleen van brood plakjes ...

Ik wil uitvinder worden van mooie simpele dingen, zoals de paperclip. Of de pleister. Jammer dat die al bestaan.

maandag 5 februari

Anti-spreekbeurt (1)
Geniale en supersimpele uitvindingen leek me een geweldig onderwerp voor mijn spreekbeurt. Dan kon ik meteen uitzoeken wat ik allemaal níét meer hoefde uit te vinden.
Ik ben er nogal van in een dip geraakt.
Nooit bij stilgestaan dat er zoveel fantastische simpele dingen bedacht zijn. Ik kan ook niet kiezen wat mijn top vijf is.

De versnellingen op mijn fiets scoren hoog. Zonder tandwieloverbrenging kun je net zo goed gaan lopen. Of je zou weer terug moeten naar de loopfiets of dat levensgevaarlijke kreng met dat enorme voorwiel, de hoge Bi. Eén kiezeltje en je werd zo getorpedeerd.

De tandenborstel is onmisbaar als je verliefd bent en nog eens je eerste zoen hoopt te geven. Oké, tegen knoflook kan geen poetsbeurt op, al schrob je je tanden en kiezen nog zo goed. Maar verder is een mond vol etensresten niet bevorderlijk voor de zoenlust van je beminde. De tandenborstel is meer dan duizend jaar geleden in China uitgevonden. Ze waren daar hygiënischer dan bij ons. Honderd jaar geleden poetste een heel gezin met een en dezelfde borstel. Jak!

Sommigen houden van een gulp met knopen. Ik niet. Geef mij maar de rits, alleen al omdat het een staaltje van vernuft is. Een zekere meneer Judson bedacht de allereerste glijsluiting in 1893. Dat ding sprong alleen steeds open. Niet prettig, zeker niet als het een rits in je broek is. Gelukkig vond Gideon Sunback uit Zweden in 1914 de perfecte ritssluiting uit. Briljant toch?

Aspirine zou vast op Manolito's lijstje staan. Dat is het eerste waar hij 's morgens naar grijpt. Ik snap het wel. Je hoeft maar naar de lege wijnflessen in de glasbak te kijken.

Nee, niet aspirine, maar de lucifer, die komt wel in mijn top tien voor. Die blinkt uit in eenvoud. Daar zouden de jagers-verzamelaars uit de prehistorie groen van jaloezie van geworden zijn. Dat was toen een gestuntel met vuursteentjes en stokjes en mos! In 1827 maakte een Britse scheikundige de eerste lucifers. Je moest die langs een ruw oppervlak strijken, dan vlogen ze in de fik. Geen lucifers ... dan hadden we met oud en nieuw ook geen vuurwerk gehad. En dat is een van de weinige dingen die ik Manolito moet nageven: wat die man voor spektakelvuurwerk had aangeschaft! En mijn moeder ineens net doen alsof ze het hele jaar had uitgekeken naar gillende keukenmeiden, vuurpijlen, Romeinse kaarsen, voetzoekers, rotjes en Bengaalse potten.
Ik hield wijselijk mijn mond.

Wat nooit uitgevonden had moeten worden – behalve voor Sacha – is de klok, en nog erger: de wekker. Wie dát op zijn geweten heeft! Ik ben zó anti-wekker. Had het toch bij de haan gelaten.
Maar ja, een wekker past ook niet in het lijstje simpele en geniale uitvindingen, evenmin als mijn mobieltje, mijn computer, mijn iPod en mijn Xbox.

Oké, oké. Ik hoor meester Pjotr in gedachten al een uur roepen. 'Het wiel, jongen, het wiel past perfect in jouw lijstje.'
Nou, meester Pjotr, dat zal wel. Ik ben even niet meer geïnteresseerd in uitvindingen. Ik ben van het voorbereiden van mijn spreekbeurt in een akelig zwart gat met antimaterie beland. Alles is al uitgevonden, van elastiekje tot waterijsvormpje. Zelfs oordopjes zijn al kant-en-klaar te koop. En daar ben ik blij om ook.
Sonja is bij ons ingetrokken tot de ruzie met haar moeder is bijgelegd. Ik weet dat zoiets soms lang kan duren. Soms worden ruzies zelfs nooit meer bijgelegd. Zeker als iemand zo'n mislukt karakter heeft als Sonja. Haar excuus is dat ze de dochter van Manolito is en dat haar karakter waarschijnlijk genetisch bepaald is. Maar goed, Sonja draait a-f-s-c-h-u-w-e-l-i-j-k-e muziek. Gelukkig vond ik een doosje oordoppen op Manolito's nachtkastje.

woensdag 14 februari

Anti-Valentijn
Dat vind ik nou zóóó flauw. Nu is het Valentijn en dan durven meisjes ineens wel. Drie kaarten van stille liefjes vielen er vandaag door de brievenbus. Ik had de postbode al zien aankomen en stond klaar om de kaarten uit zijn handen te rukken voor Sonja de kans kreeg. Er zat ook een kaart voor haar bij. Die heeft ze vast naar zichzelf gestuurd.
Drie kaarten! Mijn biceps zwollen op. Mijn pukkels verschrompelden, zodat mijn prachtige gave huid weer zichtbaar werd. Ik voelde me het doelwit van aantrekkingskracht op meisjes.
Totdat ik de kaarten las.
Nee, ik weiger de tekst hier in het openbaar te herhalen. De dader of daders weten echt wel waar ik het over heb.
Maar ik had wel graag dat ze zich meldden en hun excuses aanboden.

Reactie
Lieve Michiel, ik méén het! En ik durf het hier op je weblog te herhalen:
Michiel is koel.
En Michiel is zwoel.
Met hem nooit een saaie boel.

Michiel is koel.
En Michiel is zwoel.
Hij is mijn liefste hartendoel.
Een voorstander

Reactie
Sorry, ik heb geen excuus voor mijn flauwe kaartje.
Excuusnicht

Reactie
In stilte bemin ik je.
Geintje.
Oordopje

woensdag 21 februari

Nieuwsselectie

Bijgeloof
Een bungeejumper vond de dood toen hij aan een takel uit een Amerikaanse wolkenkrabber sprong. Foutje in de berekening van de hoogte. Amerikanen zijn nogal bijgelovig en slaan daarom de dertiende verdieping vaak over.

Dus dertien brengt écht ongeluk. [Michiel]

Grip op je dip
Voor depressieve jongeren is er nu onlinetherapie mogelijk.

Ideetje voor babbelboxen? Ik ken er nog eentje die Sonja heet. [Michiel]

Toekomst
In 2020 leven 1,4 miljard mensen in krottenwijken. Nu zijn er dat nog 1 miljard.

Hopelijk zijn er dan ook meer krottenwoningen voor al die mensen. [Michiel]

Kindertelefoon

Kinderen en jongeren hebben vorig jaar aanzienlijk meer gebeld en gechat met de Kindertelefoon dan de jaren daarvoor. Het ging om 140.000 gesprekken. Kinderen tussen 8 en 12 jaar bellen het meest. De chatsite trekt een iets ouder publiek: 13 tot en met 15 jaar.

Help me om volgend jaar meer bezoekers naar mijn weblog te trekken dan naar de site van de Kindertelefoon. Geef het door! [Michiel]

Vergeten

Een Zweeds echtpaar op weg naar de vakantiebestemming heeft onderweg zijn kind vergeten. Het negenjarige meisje bleef alleen achter op een parkeerplaats langs de snelweg tussen München en Salzburg. De vader en moeder waren gestopt om naar het toilet te gaan en lieten hun slapende dochter op de achterbank liggen. Het meisje werd wakker en ging op zoek naar haar ouders. Die ontdekten pas in Oostenrijk dat hun dochter was verdwenen.

Soms weet je niet of je beter af bent mét ouders of zónder. [Michiel]

Zoenen

Van de jeugd tussen 9 en 15 jaar heeft 78 procent als liefste wens 'zoenen en verkering krijgen'.

Herkenbaar. [Michiel]

Huisdieren

De Raad van Dierenaangelegenheden heeft advies uitgebracht over welke dieren wel en welke niet als huisdier gehouden mogen worden.
Verboden zijn onder meer het nijlpaard, de giraf, de olifant, de dolfijn, de zeeleeuw, de mol, de miereneter, de bever, de koala, het vogelbekdier, grote beren, de luiaard, de vliegende hond, de hyena, de molrat, het muskushert, de zeekoe en walvissen.

Jammer, leek me nou net leuk, een olifant als huisdier. Misschien had die Manolito er wel onder gekregen. [Michiel]

Verraad

Een inwoner van P. keek zaterdagavond raar op toen hij bij thuiskomst een onbekende auto met twee kinderen op de achterbank op zijn oprit zag staan. Hij vroeg aan de kinderen waar hun ouders waren, waarop een kind zei dat hun vader aan het inbreken was. Bij binnenkomst van de bewoner maakten de inbrekers zich zonder buit uit de voeten.

Die vader had zijn kinderen duidelijk niet goed opgevoed. Anders hadden ze hem nooit verraden. [Michiel]

Moord

De Spaanse politie heeft het niet gemakkelijk met het oplossen van de moord op burgemeester Miguel Grima van het dorpje Fago. De burgemeester had in de afgelopen twaalf jaar veel vijanden gemaakt, zodat alle 37 inwoners van het dorpje wel een reden hadden om hem uit de weg te ruimen.

Ik ben anti-moord, maar een vijand heb ik wel. Zijn naam begint met een M. [Michiel]

woensdag 28 februari

Anti-verjaardag (1)

Ik ben anti-verjaardag, omdat

- ik niet van taart houd;
- mijn vader niet welkom is bij mijn moeder en mijn moeder niet bij mijn vader en ik ze graag allebei op mijn feestje heb;
- ik altijd bang ben dat er niemand komt op mijn feestje;
- ik me schaam voor Manolito, en voor mijn moeder die zich nog steeds als een puber gedraagt naar hem toe;
- ik het bij mijn vaders kindercrèche ook niet alles vind;
- ik tegenwoordig vier opa's en oma's heb en ik niet weet wat ik met hun cadeautjes moet doen. Of zouden ze bij de kringloopwinkel blij zijn met zelfgebreide sokken, een boek uit het jaar nul en een verfdoos?
- ik niet van zoenen houd. Uitzondering is mogelijk Eline, maar ik heb haar niet op gelijksoortige neigingen naar mij toe kunnen betrappen;
- ik nooit weet wat ik door de telefoon moet zeggen tegen die ooms en tantes die opbellen;
- ik niet graag ouder word. Volwassenen stralen niet uit dat het leven hen erg gelukkig maakt.

donderdag 1 maart

Anti-zielig
Je hebt van die meisjes die gewoon echt zielig zijn. Die melden zichzelf aan bij msn, omdat er dan tenminste nog één contactpersoon online is. Ze kennen geen anderen of zijn door hen geblokkeerd. Je hebt ook meisjes die dóén alsof ze zielig zijn. Die kunnen niet gymmen omdat ze ongesteld zijn. Die hebben altijd hoofdpijn of buikpijn en anders hebben ze wel een vreselijke ingebeelde ziekte of zijn ze allergisch voor de geur van rijstwafels. Die moeten met de auto opgehaald worden als het regent om niet nog meer ziektes te krijgen. Die kunnen niet blijven slapen op schoolkamp vanwege heimwee, nachtmerries en aanpassingsproblemen of misschien wel alle drie tegelijk. Die hoeven geen schrijfwerk te doen omdat ze dyslectisch zijn en anders hebben ze wel ADHD, zijn ze hoogbegaafd of hebben ze rsi. Die willen de mooiste slaapkamer in huis, mét wastafel, want zij zijn van het ras der zielige meisjes. Dat iemand anders die kamer al bewoont, maakt niet uit. Zij zijn hun vaders lievelingetje en moeten beschermd worden tegen de boze buitenwereld en tegen vervelende stiefbroers.
Nee, ik noem geen namen, maar van dat soort zielige meisjes krijg ik overgeefneigingen.
En wie er eigenlijk écht zielig is, dat is niet moeilijk te raden.

Reactie
Ik zou ook liever een kamer met je gedeeld hebben, maar dat vond je moeder niet goed.
Oordopje

maandag 5 maart

Anti-slaap
Ik ben met een nieuw trainingsprogramma begonnen. Het gaat deze keer niet om de spieren van armen, benen, borst en buik. Ik geloof niet dat ik veel aanleg heb om met mijn lijf indruk te maken. Maar wie niet sterk is, moet slim zijn. Ik train mezelf sinds kort in wakker blijven onder het motto: wie minder slaapt, heeft meer tijd en kan meer bereiken.

Slapen is het stomste wat een mens kan doen. Als je niet meer zou hoeven slapen, of nog maar heel kort, houd je zeeën van tijd over! Dan leef je een derde langer dan andere mensen. Ik heb wel eens gelezen dat sommige mensen maar weinig slaap nodig hebben. Napoleon Bonaparte bleef dag en nacht alert en sliep maar een paar uur per nacht. Het is wel slecht met hem afgelopen. Hij werd na de Slag bij Waterloo verbannen naar het eiland Sint-Helena. Maar vóór die tijd wist hij het toch maar mooi tot keizer te schoppen. Niet dat ik keizer wil worden, hoor. Ik ben geen kleuter! Maar verder biedt meer tijd meer kansen.

Hoe mijn trainingsprogramma eruitziet? Nee, ik stop geen luciferhoutjes tussen mijn oogleden en drink ook geen ladingen koffie of andere pepmiddelen. Mijn programma is puur natuur.

1. Ga elke dag vijf minuten later slapen. Bij mij is dat dit weekeinde mislukt. Ik ging wel drie uur later naar bed dan anders.
2. Sta elke dag vijf minuten vroeger op. Dat is dit weekeinde om dezelfde reden als onder 1 mislukt.
3. Kijk maximaal een uur per dag tv; je wordt daar namelijk slaperig van. Msn ook niet meer dan een uur per dag. Ik maak zelf een uitzondering op deze regel als Eline online is.
4. Neem 's avonds een koude douche, dat doet wonderen. Klaarwakker ben je dan ineens. Let wel op dat je niet gaat gillen van de koude straal. Daarmee zou je nog meer mensen wakker houden.

5. Drink veel water. Je moet dan namelijk ook veel plassen en dat houdt je lekker bezig. Veel water drinken schijnt sowieso heel gezond te zijn.

6. Hang af en toe met je hoofd uit het raam. Zorg wel dat het licht op je kamer uit is. Sommige overburen roddelen namelijk graag met je ouders. Deze tactiek werkt in elk geval in deze tijd van het jaar goed. In de zomer werken washandjes met ijsklontjes misschien beter om jezelf mee te verfrissen. Alles is dan waarschijnlijk beter dan op je zolderkamer blijven. Als het érgens heet is in huis ...
7. Roffel jezelf af en toe op de borst en maak ahoewa-ahoewa-geluiden. Helpt gegarandeerd.
8. Leen boeken met moppen of grappige strips bij de bieb. Lachen houdt je wakker!

Morgen leg ik verder uit wat ik van plan ben te gaan doen in mijn extra vrije tijd. Nu is het namelijk 21.35 uur en is het bedtijd. Morgenochtend sta ik om 7.10 uur op.

dinsdag 6 maart

Vrijetijdsplanning (1)
Sorry, beste lezers, maar ik heb vandaag geen tijd voor mijn vrijetijdsplanning. Ik moet als een gek met mijn spreekbeurt verder. Die is vrijdag al! Paniek! Ik was het helemaal vergeten. In het onderwerp uitvindingen heb ik geen zin meer. Ik moet dus als een komeet verder en om 21.40 uur is het alweer bedtijd (7.05 uur op). Tot morgen.

Reactie
Ik heb een goede tip voor je: koop *De enige echte complete gids voor spreekbeurten, werkstukken en boekbesprekingen.*
Annemarie Bon

woensdag 7 maart

Vrijetijdsplanning (2)
Sorry, beste lezers, nog steeds geen tijd voor mijn vrijetijdsplanning. Maar ik weet wel dat ik mijn spreekbeurt over ons zonnestelsel ga doen. Daar is zoveel leuks over te vertellen, dat kan niet misgaan.
Wist je bijvoorbeeld dat de aarde met een vaartje van 110.000 kilometer per uur om de zon draait? Onvoorstelbaar dat je daar niet hartstikke dol van wordt. Maar stel dat je met die waanzinnige snelheid zou reizen, dan duurde het nog 40.000 jaar voor je bij de dichtstbijzijnde ster was.
Ik heb het dan niet over onze eigen zon, ook al is dat ook een ster. Ik heb het over Proxima Centauri. Wat dat betekent? Dichtstbijzijnde ster!
En wist je dat een jaar op Mercurius 88 dagen duurt? En dat het op Venus met 500 graden ontzettend heet is? Maar al was het koeler, dan kon je er nog niet leven. Het regent continu giftig zwavelzuur uit de oranje wolken. Je stikt er en je verbrandt er en je lost op tot er niets meer van je over is.
En wist je dat er om Mars twee manen draaien? En dat een dag op Saturnus maar 10 uur duurt? En dat Uranus een ijs- en ijskoude gasplaneet is? En dat hij op zijn zij ligt, waardoor het op de polen eerst 42 jaar licht is en daarna 42 jaar donker? En dat Neptunus zo'n 4500 mil-

joen kilometer bij de zon vandaan staat? En een jaar op deze diepblauwe planeet 165 aardse jaren duurt en er voortdurend stormen razen die tien keer harder zijn dan een orkaan bij ons? En dat niet iedereen het erover eens is of Pluto een planeet is?
Dat wist je niet, hè?

Ik ga vrijdag op het schoolplein het zonnestelsel namaken. De zon in het midden en daaromheen grote cirkels. Ik zet mijn vriend Milan in het midden en pas een stuk touw van de goede lengte af. Milan moet het ene uiteinde van dat touw vasthouden en ik trek met krijt en het andere eind van het touw in mijn handen de cirkel. Dat is nog eens een passer, hè? Dit is de berekening die ik gemaakt heb:

hemellichaam	grootte	afstand tot de zon
Zon	skippybal	0
Mercurius	kogeltje	5 cm
Venus	druif	10 cm
Aarde	druif	15 cm
Mars	kogellagerkogeltje	23 cm
Jupiter	grapefruit	79 cm
Saturnus	appel	1,43 m
Uranus	mandarijn	2,87 m
Neptunus	mandarijn	4,50 m
Pluto	peperkorrel	5,91 m

Help, het is al 22.05 uur. Dat is 20 minuten te laat. Dan mag ik morgen ook later opstaan, om 7.20 uur dus.

donderdag 8 maart

Vrijetijdsplanning (3)
Ik vond een lijstje in een mandje in de Albert Heijn, toen ik een nieuwe fles mondwater ging kopen. Ik schrijf het voor je op. Al weet ik niet of ik alles goed heb gelezen.

<u>Roo</u>
shades & hat
flip flops
light col. bag
pop shields
money out
budget insurance
tissues
after sun
money belts
toothpaste & brush
plasters

Het laat me niet meer los. Ik bedoel maar: het is maart! Wat moet je nou met aftersun en shades & hat? Ik denk dat een shade een zonneklep is trouwens, maar zeker weten doe ik het niet. En waarom is het lijstje in het Engels? Kijk, als iemand dit nodig heeft omdat hij naar een tropisch eiland op vakantie gaat, snap ik het. Maar zo iemand spreekt Nederlands. En als het lijstje

van een Engelse toerist in Nederland is, dan heeft die geen verzekering nodig, laat staan aftersun en shades & hat. Dus moet het van een Engelstalige allochtoon zijn die naar een tropisch eiland op vakantie gaat. Ik brand van nieuwsgierigheid. Misschien is detective spelen bij de Albert Heijn wel een goede vrijetijdsbesteding. Misschien is geheim agent sowieso wel iets voor me.
Michiel, just call me Michiel.
Vanavond om 22.10 uur naar bed en om 7.15 uur op.

vrijdag 9 maart

Anti-spreekbeurt (2)
Vandaag had ik mijn spreekbeurt. Het leek me wel een leuk idee als negen kinderen de planeten boven hun hoofd vasthielden en dan rondjes gingen lopen om de zon. Ik vind het eigenlijk nog steeds een geniaal plan van mezelf: een levend planetarium.
Er was één probleempje. Planeten zijn dode materie: die doen wat ze moeten doen. Klasgenoten hebben meer de neiging juist níét te doen wat ze moeten doen.

Mars haalde Mercurius in, Saturnus draaide tegen de klok in. Pluto weigerde een stap te verzetten en Neptunus ging recht op de zon af, daarbij een botsing met de aarde veroorzakend.
Eise Eisinga had dat in zijn planetarium in Franeker beter bekeken. Gelukkig had meester Pjotr mijn bedoeling door en kreeg ik toch een 9,5. Maar zelfs dat punt kon mijn vernedering niet meer goedmaken.

Om mijn ellende te vergeten ben ik gaan posten bij de Albert Heijn. Ik had me verdekt opgesteld op een bankje bij de ingang en deed afwisselend net of ik aan het sms'en was of las in Power Unlimited. Gelukkig is het plein overdekt, anders was ik vast bevroren. Ik heb er wel een uur gezeten en hoorde niemand Engels spreken. Ook zag ik geen verdachte personen. Totdat ik net weg wilde gaan.
Aan de andere kant van het plein zag ik Manolito de gokhal binnenlopen. Volgen had geen zin: voor zo'n tent moet je achttien zijn. Ik heb nog een halfuur gewacht. Toen besloot ik naar huis te gaan. Wie weet waar zulke kennis nog eens handig voor is. Kennis is sowieso handig. Ik ben niet anti-kennis, wel bij kennis.

zaterdag 10 maart

Nieuwsselectie

Nieuwe winkel
Sinds kort is er een winkel voor mensen met een geheugenstoornis.

Volgens mij is die winkel zo failliet. De klanten vergeten meteen dat zo'n winkel bestaat.
[Michiel]

Geen plezier
Een derde van de leraren in het basis- en middelbaar onderwijs heeft geen plezier in het werk. Een kwart van de ouders klaagt dat de school slecht of niet naar hen luistert en een vijfde van de leerlingen voelt zich soms onveilig op het schoolplein.

Afschaffen dan maar die scholen? Ik ben sowieso anti-school.
[Michiel]

Naaktslakken
Voor geen goud loopt mevrouw A. nog op blote voeten door haar huis. Ze weet hoe ontzettend vies dat kan voelen. Haar woning wordt namelijk al maanden belaagd door een invasie van naaktslakken. Als mevrouw A. de

lichten uitdoet, komen er tientallen tevoorschijn uit kieren en gaten.

Snapt die mevrouw niet dat naaktslakken óók graag een huisje hebben? [Michiel]

Terreur

Een op de tien ouders is slachtoffer van geweld door de eigen kinderen. Angst, schaamte en taboe laten de terreur soms jaren voortwoekeren. Er zijn twee keer zoveel jongens als meisjes bij het geweld in het gezin betrokken. Maar als de meisjes dader zijn, zijn ze wel extreem gewelddadig. Het meest voorkomende geweld van kinderen is dat van zoons tegen hun moeder.

Boft mijn moeder maar weer met mij. Ik heb nog nooit een hand (naar haar) uitgestoken. [Michiel]

Barbie

Veel meisjes hebben barbiepoppen. Uit een Brits onderzoek blijkt dat de meeste meisjes op zeker moment hun barbie kaalplukken, onthoofden, in stukken breken,

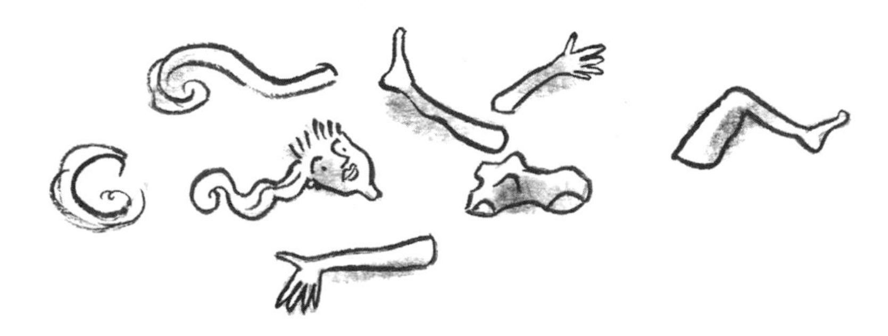

verbranden of in de magnetron stoppen. Wreed? Nee, de meisjes vinden het juist cool. Het is dé manier om af te rekenen met je kinderachtige kindertijd.

Zolang die meisjes van mijn autootjesverzameling afblijven, vind ik alles best. [Michiel]

Niet vies

Geld is niet vies. Dat hebben onderzoekers aangetoond. Ze hebben 90 euromunten en 120 bankbiljetten onderzocht op bacteriën. Wat bleek? Geld is zo droog dat ziektebacteriën er niet op kunnen overleven.

Als geld ook al niet meer vies is, wat dan nog wel? [Michiel]

zondag 11 maart

Anti-M.

Nooit geweten dat het nog eens zover zou komen. Toch is het nu gebeurd. Mijn spionage-ervaring van gisteren heeft me op het spoor gezet.

Manolito! Ik heb besloten zijn gedrag eens goed te observeren. Misschien kan ik namelijk een voorbeeld nemen aan hem in de toenadering tot meisjes. Hoe hij mijn moeder heeft weten in te palmen!

Vanochtend aan het ontbijt omstreeks 8.30 uur:

M. geeft mijn moeder, die net espresso maakt, een zoen in haar nek en slaat zijn armen van achteren om haar heen. Mijn moeder ziet er opgeblazen uit. Ze is zonder make-up en andere hulpmiddelen niet meer om aan te zien.

M.: Schoonheid, wat zie je er weer goddelijk uit!

Mijn moeder draait zich om en pinkt een traan weg van ontroering. De espressomachine stopt met sissen.

Moeder: Schatje, wil jij deze espresso hebben?

M.: Je bent té lief voor me. Graag met opgeschuimde melk, en nu je toch bezig bent: tegen een roereitje op toast zeg ik geen nee.

Moeder: Ha, ha, ha, wat heb je toch een origineel gevoel voor humor.

M.: Hé, Michiel, geef die krant eens aan mij. Ik moet zo naar een klant.

Ik: Nee.
Mijn moeder komt toegesneld.
Moeder: Kom Michiel, geef die krant eens aan Manolito.
Ik: Nee.
Moeder: Doe niet zo dwars. Jij bent toch helemaal niet in het nieuws geïnteresseerd.
M. legt zijn hand op mijn moeders linkerbil. Mijn moeder kijkt gelukzalig naar hem. Ik sta op en ga weg.

Eind van de middag kwam M. thuis met een fles champagne. Hij opende de fles door decadent met een soort zwaard, speciaal voor dit doel ontworpen, de hals eraf te slaan, schonk twee glazen vol en proostte met mijn moeder. Daarna liep hij naar de cd-speler, zette sentimentele muziek op, boog voor mijn moeder en vroeg: 'Mag ik deze dans van u?'
Mijn moeder reageerde giechelig als een muts van mijn leeftijd en liet zich meevoeren door haar held. Hij trok haar telkens parmantig naar zich toe en liet haar draaien en zwieren.
In het kader van de bestudering van M.'s versiertechnieken moest ik wel blijven toekijken. Makkelijk was dat niet.
Aan het eind van de dans trok hij haar dicht tegen zich aan. 'Ik heb héél goede zaken gedaan vandaag,' zei hij trots.
'Wat fijn,' reageerde mijn moeder met een zo mogelijk

nog trotsere glimlach om haar lippen.
'Er is alleen één probleempje.'
Mijn moeder trok vragend haar wenkbrauwen omhoog.
'Mijn portemonnee is gestolen, met pinpasjes en creditcard dus. Het moet bij de slijter gebeurd zijn. Toen ik het ontdekte, ben ik meteen teruggegaan. Te laat!'
Nou ja, blablabla, hij wilde geld van mijn moeder lenen.
'Zo genoeg, schatje?' vroeg mijn moeder. 'Neem anders mijn pasje maar mee. Het nummer is 5527.'
'Nee, dat hoeft niet, engeltje,' zei M.
'Doe nou maar,' zei mijn moeder.
Braak.

Ik heb veel geleerd vandaag van M. Vanavond om 22.25 uur naar bed en 7.00 uur op.

maandag 19 maart

Anti-braaf

Ken je dit gevoel? Je mept een vlieg van je af. Die is weg, denk je dan opgelucht. Maar tot je verbazing zitten er vlak daarna ineens twee vliegen op je. Geïrriteerd sla je ze van je af. Echt gek word je, als er dan vrolijk vier vliegen in de aanval gaan. In paniek zie je jezelf als een zwarte braam met armen en benen door het leven gaan, niet meer in staat je mond te openen omdat dan de vliegen onmiddellijk je spijsverteringskanaal zullen binnendringen.
Precies zo'n ervaring heb je als je met H. te maken krijgt. Zijn naam zal ik uit beleefdheid niet in het openbaar vermelden, maar je mag gerust weten dat het een nieuwe jongen uit mijn klas is en dat hij naast me is komen zitten.
Vanaf moment nul zat hij té dicht naast me. Ik schoof een eindje op, schuift dat ettertje ook op. Tot drie keer toe. Ik stond op, liep met stoel en al om de tafel heen en wilde aan de andere kant gaan zitten, op wat eigenlijk zíjn plaats was.
Natuurlijk kreeg ik meteen op mijn kop en moest ik terug. Schijnheilig en braaf dat-ie zat te kijken!
In het speelkwartier at hij fruit, want dat is gezond, zei hij. Maar hóé hij dat at! Hij vouwde eerst een servet open op zijn schoot, want zijn moeder hield niet van

vlekken op zijn pantalon. Daarna pakte hij een bakje, waar het fruit al schoongemaakt in stukjes in zat. Met een vorkje peuzelde hij het met een treiterende braafheid op.
Een heerlijke wraakgedachte baande zich bij mij een weg naar boven. Ik had chocolademelk. Wij hebben op school van die plastic bekertjes die afgedekt zijn met folie. Die folie moet je lostrekken, soms gaat dat wat onhandig ...

Ik moest nablijven en kreeg een vreselijke preek van meester Pjotr over gastvrijheid en behulpzaamheid bij nieuwe kinderen in de klas.

Voortaan ben ik anti-braaf en daarom heb ik ook besloten mijn anti-slaaptraining eraan te geven. Ook al lag het principieel. Principes zijn er om van af te wijken en volgens meester Pjotr moet je van mening durven veranderen in je leven. Anders leer je nooit iets bij. Dan houd je er op je vijfenveertigste nog steeds kleutergedachten op na. Op zich wel realiteit, althans wel bij mij thuis.
Gisteren moest ik het doen met 7.25 uur slaap. O ja, ik red het wel, maar ik word er zó sjaggie van dat het al mijn extra vrije tijd verpest.
Het levert me dus wel kwanti-tijd op, maar geen kwalitijd.

zondag 1 april

Anti-grapjes

Ja, goed gelezen. Het is 1 april. Op deze blog zul je geen grapjes vinden, alleen dingen die niet grappig zijn.

1. De klokken in huis verzetten is niet grappig.
2. Stoelen aan de tafel vastbinden is niet grappig.
3. Zout in de suikerpot doen is niet grappig.
4. De binnenkant van de krant verwisselen met de krant van gisteren is niet grappig.
5. De sleutels van je moeders auto verstoppen is niet grappig.
6. De sensor van de afstandsbediening afplakken is niet grappig.
7. Karnemelk in het melkpak gieten is niet grappig.
8. De veters van de schoenen van huisgenoten er ondersteboven in rijgen is niet grappig.
9. De zakken van jassen en broeken dichtnaaien is niet grappig.
10. De tandenborstels insmeren met geperste knoflook is niet grappig.
11. Iemand fotograferen als hij stiekem de gokhal binnengaat, is niet grappig.
12. Een nepdrol in de gang neerleggen is niet grappig.
13. De bladzijden van iemands dagboek dichtlijmen is niet grappig.
14. De toets onder de hoorn van de telefoon vastplak-

ken zodat de telefoon blijft rinkelen, is niet grappig.

15. Je vader bellen en zeggen dat je voorgoed bij hem komt wonen omdat het M. eruit is of jijzelf, is niet grappig.
16. Maar voorgoed dichter bij Eline in de buurt gaan wonen is wél grappig.

Reactie
Van dagboeken moet je inderdaad afblijven. Ik mis je niet. Niemand trouwens.
Oordopje

vrijdag 6 april

Anti-poep

Nee, ik ben niet tegen die van mezelf, maar tegen die van honden en katten.

Ik ben tegen honden en katten. Miljoenen lopen er van rond in ons land. Als je eens wist wat die allemaal naar binnen stouwen! Nee, niks vegetarisch. Honden en katten zijn vleeseters. Daar moeten koeien en varkens en kippen voor vermoord worden. Denk je daar wel eens over na? En nog erger: met dat voedsel zouden ze in Afrika heel blij zijn. Maar nee hoor, hier voeren wij honden en katten als prinsjes en prinsesjes, terwijl tien uur vliegen verderop hongersnood heerst. In de stad is een dierenwinkel geopend. Mán, niet te geloven. Rekken vol kleding voor honden, manden op pootjes en bekleed met bont alsof het een troontje is, een hele lijn met schoonheidsmiddelen en make-up. Een wand vol ouderwetse snoeppotten met knabbeltjes, riemen en halsbanden bezet met edelstenen, videofilmpjes met honden van elk gewenst ras, zodat Moppie zich niet zo alleen voelt. Geurtjes, tandenborstels, verzin het maar, ze verkopen het in Doggy's Giftshop.

Toch zal ik eerlijk bekennen dat mijn grootste ergernis met honden en katten (vooral honden) niet voortkomt uit idealisme. Mijn grootste hekel betreft hun uitwerpselen. Echt shit!

Hier in de nieuwbouwwijk waar mijn vader woont, lijkt het wel alsof iedereen twee honden heeft. De hondenuitlaatroute zijn ze vergeten in te plannen voordat ze gingen bouwen.
Drie dagen woon ik hier nu en al zes keer heb ik een misstap begaan. Stínken! Smerig! Dat wil je niet weten! Ik denk dat het van de knabbeltjes van Doggy's Giftshop komt, want zo erg heb ik het nog nooit meegemaakt.
Maar ik zou Michiel niet zijn of ik heb wel weer een plan. Ik roep hierbij iedereen op om aan mijn anti-poep-actie mee te doen. *Pimp that shit*, zo heet de actie. Het komt erop neer dat je iedere drol versiert. Steek er een vlaggetje in. Spuit er een klodder mayonaise op. Leg er bestek bij en een servetje. Plaats er legopoppetjes bij alsof ze een berg moeten beklimmen. Versier ze met gekleurde hagel. Schrijf er een leuk gedicht bij met stoepkrijt. Weet je van wie de hond is, dan is naam en adres van het baasje bij de drol ook uiterst effectief. Kortom: leef je uit.
Vergeet niet je drol te fotograferen en op te sturen. Ik plaats ze allemaal op mijn weblog.
Het voordeel van de actie is dat de drollen beter opvallen, zodat je er niet zo snel in trapt. Daarnaast bestaat de kans dat de hondeneigenaars zich eens achter de oren krabben en hun gedrag verbeteren.

zondag 8 april (Pasen)

Anti-kinderen

Begrijp me goed, ik heb niet echt iets tegen kinderen en al helemaal niet tegen een enkel opzichzelfstaand kind. Ik vind ze best lachen. En ik voel me ook wel vereerd dat ik de held ben van mijn vaders crèche. Ja, écht! Maar VIJF kleine kinderen in één huis!!! Nee, mezelf reken ik natuurlijk niet mee.

Ik slaap hier noodgedwongen bij Jesse op de kamer. Hij is tien jaar. Claartje van acht en Jonne van zes slapen al samen op een kamer. Net als Roel van twee en baby Loesje, en Myrthe en mijn vader.

Nou scheelt het dat Jesse, Claartje en Jonne er om de week vijf dagen niet zijn. Dan zijn ze bij hún vader. En ik moet zeggen dat ik het supertof van Jesse vind – hij moppert voor geen cent dat ik bij hem op de kamer kwam slapen en hij vindt mij nogal stoer – maar leuk is het natuurlijk niet! Ik ben mijn privacy totaal kwijt.

Mijn computer past maar net op een hoek van Jesses speeltafel. Met mijn computer scoor ik trouwens ook hoog bij Jesse. Hij mag er van vijf tot zes op msn'en van me.

Verder is het erg goed dat ik al aan een anti-slaaptraining begonnen was. Je wilt niet weten hoe vroeg de dag hier begint. Wil je het wel weten? Nou, de dag begint hier om zes uur, vaak na een flinke storing in de nachtelijke uurtjes. En die wordt niet alleen veroorzaakt door baby Loesje. De kinderen hebben om de beurt last van overgeven, nachtmerries, slaapwandelen, gewoon wakker zijn en bedplassen.

Anyway, vandaag is het Pasen. Om me eens van mijn goede kant te laten zien – die heb ik namelijk heus wel – heb ik vandaag chocolade-eitjes in de speeltuin verstopt. Toen ik met mijn twee stiefzusjes en mijn stiefbroertje en mijn halfbroertje kwam aanzetten, liet Eline daar net haar hond uit. Hoewel ... hond? Het is meer een hondje. En omdat het hondje van Eline is en principes er zijn om van af te wijken, ben ik plotsklaps véél minder antihond. En Eline laat hem vast niet op de stoep en in de speeltuin poepen ...
O wonder, Eline ging naast me aan de houten tafel zitten in de speeltuin alsof het de gewoonste zaak van de wereld was. Ze was heel belangstellend naar mijn huidige woonsituatie.
'Kom maar lekker bij mij *chillen*, als je genoeg hebt van grote broer spelen,' zei ze. Ja, ze heeft dat echt gezegd!!!
Ik krabde eens op mijn hoofd – dat doe ik trouwens wel vaker de laatste tijd. Ik moet vast als een blije paashaas hebben gekeken, want ze schoot van mijn blik nogal in de lach.
Ondertussen waren de kleintjes ook aangeschoven met mandjes vol paaseitjes. Ze hadden nog lang niet alles bij elkaar gegrabbeld, wat ik allemaal verstopt had, ook niet

als je de eitjes erbij zou tellen die ze al opgesnoept hadden. Om de beurt wees ik ze een geheim plekje.
Ineens viel het me op dat die kinderen allemaal ontzettend op hun hoofd aan het krabben waren. Hun haren piekten wild alle kanten op. Ik zag dat Eline het ook zag en dat ze doorhad dat ook ik een treiterende, gekmakende jeuk op mijn kop had.
'Ik ga er weer eens vandoor,' zei ze liefjes. Nee, een kusje zat er onder deze omstandigheden zeker niet in. Ze had niet sneller de benen kunnen nemen.
Grrr, kinderen!!!

Reactie
Er bestaat tegenwoordig een elektronische luizenkam. Werkt fantastisch, weet ik uit ervaring.
Anoniempje

maandag 16 april

Test jezelf

Wil je weten hoe eerlijk je bent? Doe de test en lees binnenkort de uitslag op deze weblog. Geef voor één keer wel eerlijk antwoord!

1. Je breekt de bril van de vriendin van je vader. Wat nu?
a. Ik vertel haar eerlijk wat er gebeurd is.
b. Ik zeg niks.
c. Ik zeg tegen haar dat mijn vader het gedaan heeft.

2. Hoe vul je deze test in?
a. Ik doe deze test pas als ik de uitslag kan bekijken.
b. Ik probeer hem zo in te vullen dat ik de beste score krijg.
c. Ik vul hem gewoon in.

3. Je wilt computeren. De computer staat nog aan, mét alle e-mail en bewaarde msn-berichten van je stiefzus erop. Wat doe je?
a. Ik kijk snel even wie er online zijn en van wie de e-mails zijn. Misschien lees ik er eentje.
b. Ja, dat is natuurlijk een buitenkansje om eens achter de hartsgeheimen van mijn stiefzus te komen.
c. Ik sluit snel haar e-mail en msn af en meld mezelf aan.

4. Je koopt een zak drop. Je mag zelf afwegen.
a. Ik stop een dropje in mijn mond onder het afwegen.
b. Ik weeg gewoon de dropjes en plak een sticker op de zak.
c. Ik duw met mijn vinger de weegschaal omhoog. Zo geeft die namelijk een lager gewicht aan.

5. Je krijgt net zoveel zakgeld als je klasgenoten, maar je wilt meer. Wat zeg je tegen je moeder?
a. Ik krijg van papa meer zakgeld. Van jou toch zeker ook?
b. Ik krijg het minste zakgeld van iedereen in mijn groep.
c. Mag ik alsjeblieft meer zakgeld?

6. Je weet dat de vriend van je moeder haar financieel aan het kaalplukken is. Wat doe je?
a. Ik vertel haar wat hij doet.
b. Ik zeg tegen die vriend dat hij ermee moet stoppen.
c. Ik zeg niks.

7. Je vindt een briefje van twintig euro bij de kapstokken op school. Wat doe je?
a. Houden natuurlijk! Ik ben de eerlijke vinder.
b. Ik geef het aan een leerkracht. Iemand is het kwijt.
c. Ik wacht tot er een oproepje komt of iemand het geld gevonden heeft. Dan geef ik het af.

8. Degene op wie je verliefd bent, heeft echt totaal foute kleren gekocht. Wat doe je?
a. Ik zeg ronduit dat ze er zo niet bij kan lopen en dat ik me schaam voor haar.
b. Ik zeg niks, maar zorg dat ik uit de buurt blijf.
c. Ik geef haar een complimentje voor haar aparte outfit.

donderdag 19 april

Anti-ettertje (1)
Ik had het zo goed uitgedacht. Onder de les ben ik naar de wc gegaan. Op de gang heb ik snel Elines jas verstopt in de mand met verkleedkleren in de theaterhoek van de aula. Na schooltijd moest ik er alleen voor zorgen dat ik in haar buurt was, zodat ik haar kon aanbieden dat ze mijn jas aan mocht. Ik zou natuurlijk met haar meefietsen en ze zou me eeuwig dankbaar zijn.
Het ging al in de klas mis. Braaf ettertje, die net na mijn actie was binnengekomen (hij was naar de orthodontist geweest), legde plompverloren zijn boek half over het mijne. Ik veegde het opzij. Ettertje gaf het een extra zetje en riep: 'Meester, Michiel gooide mijn boek op de grond.' Waarop ik even moest komen praten na school. Gelukkig geloofde meester Pjotr me en heeft hij me beloofd in het vervolg niet alles klakkeloos aan te nemen wat ettertje beweert.
Maar de sterren waren me vandaag niet zo goed gezind. What's new? Toen ik op de gang kwam, sleurde ettertje net Eline mee naar de verkleedmand.
'Hij heeft je jas verstopt,' riep hij, terwijl zijn vingertje mijn richting op wees. 'Ik heb het zelf gezien.'
Ik ben te eerlijk, dat werd me toen duidelijk. In plaats van glashard te ontkennen, begon ik te blozen. Een framboos is er niks bij, ook qua huidstructuur trouwens.

Eline heeft een ander karakter dan meester Pjotr. Ze geloofde ettertje, helaas. Ze keek me niet eens meer aan. Ze keek dwars door me heen en verliet samen met ettertje de school.
Meester Pjotr onderging overigens ter plekke een karakterwisseling. Ook hij geloofde ettertje nu.
Mijn straf was het schoolplein vegen.

Reactie
Had dan gezegd waarom je dat gedaan had! Ik vergeef je. Sterker: vergeef je mij?
Een voorstander

vrijdag 20 april

Uitslag

Heb je de test van 16 april gedaan? Lees hier de waarheid.

Heb je de meeste antwoorden uit dit rijtje: 1.a, 2.c, 3.c, 4.b, 5.c, 6.a, 7.b, 8.a? Dan ben jij heel eerlijk, maar té eerlijk is soms ook gewoon dom. Je hóéft niet alles te zeggen. Zelf ben ik nogal anti-té-eerlijk.

Heb je de meeste antwoorden uit dit rijtje: 1.b, 2.b, 3.a, 4.a, 5.b, 6.b, 7.c, 8.b? Dan wil jij wel graag eerlijk zijn, maar soms sjoemel je er wat mee. Nou is gesjoemel op zich heel normaal, maar ik ben zelf nogal anti-gesjoemel.

Heb je de meeste antwoorden uit dit rijtje: 1.c, 2.a, 3.b, 4.c, 5.a, 6.c, 7.a, 8.c ? Dan ben je wel zo eerlijk om toe te geven dat jij niet zo erg eerlijk bent. Zeg maar gerust dat je een leugenaar bent. Overbodig te zeggen dat ik anti-liegen ben.

zaterdag 21 april

Anti-anti

Misschien zijn er bezoekers van deze blog die denken dat ik een zwartkijker ben en overal tegen.
Dat is NIET waar.
Er zijn er welicht ook, die denken dat ik bij Eline een blauwtje loop.
Is NIET waar.
Of die zeker weten dat ik nooit verkering met haar durf te vragen.
Is NIET waar.
Het leven is een kermis waar je overal gratis in mag. Ik ben er met Eline samen voorstander van. Ik ben anti-anti.
Ik heb Eline gevraagd per sms en ze antwoordde: 'Jaha, dat weet je toch!'

woensdag 2 mei

Nieuwsselectie

Rijstijl

Mannen veroorzaken meer zware verkeersongelukken dan vrouwen. Zo bekeken rijden vrouwen beter auto dan mannen. Volgens verkeerspsychologen zijn het echter toch de mannen die beter kunnen rijden. Ze doen het alleen niet, omdat hun hormonen hun parten spelen.

Geldt ook voor jongens op de fiets. [Michiel]

Friet

Een tienjarig kind in Groot-Brittannië eet gemiddeld elke negen maanden zijn gewicht aan friet, zo'n 35 kilo. Een derde van de Britse kinderen eet elke dag friet. Er bestaan zelfs kinderen die twee keer per dag friet eten. De 'chip butty' telt dan niet eens mee. Dat zijn maar een paar frietjes tussen twee sneetjes brood.

Maar die Engelsen eten friet wel mooi met azijn. Dat ruikt beter dan knoflookmayo. [Michiel]

Bidden

Bidden helpt niet voor iemand die naar het ziekenhuis gaat voor een dotterbehandeling aan het hart.

Als die dotterbehandeling dan maar wel helpt! [Michiel]

Huwelijk

Uit een studie blijkt dat mannen gemiddeld 1,7 jaar langer leven als ze getrouwd zijn. Vrouwen leven juist 1,4 jaar korter.

Verbaast me niks. [Michiel]

Cito

Dit jaar hebben ouders massaal oefen-cd-roms aangeschaft voor de Cito-toets van hun kinderen. Ook schakelen ze orthopedagogen in die hun kroost bijles moeten geven. Met deze maatregelen hopen de ouders op een hogere score en een hoger advies voor een vervolgopleiding.

Kindermishandeling! [Michiel]

Tenenlikker

In Rotterdamse parken zijn zonnebadende meisjes met blote voeten al tijden slachtoffer van een tenenlikker. De tenenlikker slaat toe als de meisjes wegdoezelen of even niet opletten. Onlangs is de dader opgepakt. Kort daarop werd hij weer vrijgelaten, want tenenlikken is niet strafbaar.

Jak! Dan toch maar liever zoenen. [Michiel]

woensdag 9 mei

Anti-zoenen
Wie verkering heeft, wordt geacht te zoenen. Maar als je verkering met je eerste meisje (of jongen) hebt, weet je nog niet hoe dat moet. Vandaar dat ik er een onderzoek naar gedaan heb. Daar zijn deze tips het resultaat van:

Tip 1 - Fris en schoon
Zorg dat je tanden goed gepoetst zijn en dat je geen knoflook gegeten hebt. Natuurlijk heb je niks onder de leden, zoals een verkoudheid of een koortslip. Zorg dat je zelf fris gewassen bent, maar spuit geen luchtje op. Daar knappen veel meisjes op af.

Tip 2 - Romantiek
Van romantiek smelt het hart van elk meisje. Maak haar complimentjes of geef haar een klein cadeautje. Maak het niet te duur; dat brengt haar in verlegenheid. Zorg voor iets origineels. Met een zelfgeschreven gedicht scoor je natuurlijk altijd.

Tip 3 - De beste plek
Je kunt niet zomaar overal je eerste zoenpartij houden. Het kan bij het afscheid in de schemering of in het donker in de bioscoop of op haar of jouw kamer. (Maar dan zonder risico op ongenode gasten.) Kies in elk geval een

veilig en rustig plekje en doe het niet midden op het schoolplein.

Tip 4 - De juiste timing

Wacht geduldig het juiste moment af. Kijk haar langer dan anders in de ogen. Wendt ze haar blik af, dan heeft ze waarschijnlijk geen zin om te zoenen. Raak haar zacht aan. Kijkt ze jou nog steeds aan, breng dan je gezicht voorzichtig een stukje dichterbij. Je merkt vanzelf of zij haar gezicht ook dichterbij brengt. Zo weet je allebei zeker dat je wilt zoenen.

Tip 5 - Een goede techniek

Open langzaam je mond. Doe hem niet te ver open, want dan botsen haar tanden tegen de jouwe. Gewoon een klein beetje. Houd daarbij je hoofd een beetje schuin, want anders zit je neus in de weg. Druk dan je lippen zachtjes op haar lippen en zoek met je tong voorzichtig haar tong en streel die met jouw tong.

Tip 6 - Relax
Doe gewoon wat je leuk vindt. Er bestaat geen goed of fout! Je mag zelf weten of je je ogen dichtdoet. Je mag zelf weten hoelang je door blijft zoenen, zolang zij het tenminste ook leuk vindt. Vergeet niet te blijven doorademen. En maak je vooral geen zorgen. Je voelt het vanzelf aan!

Zo moet het toch lukken, zou je zeggen? Kwestie van zelf uitproberen. Maar waarom ik er dan toch niet van ga watertanden? Ik geloof niet dat ik van zoenen houd. Kun je dan niet verliefd zijn zónder zoenen? Of gewoon met een klapperd op de wang of een smakkerd op de lippen?

vrijdag 11 mei

Anti-verjaardag (2)

Oké, ik ben anti-verjaardag, maar nu de mijne dichterbij komt – donderdag 17 mei, NOTEER!!! – wil ik even iets nader specificeren. Ik ben anti-verjaardag, maar wie mij toch per se cadeautjes wil geven, gelieve uit onderstaand lijstje te kiezen:

- mobieltje met internetabonnement
- tienrittenkaart voor de fitness
- paardrijles op de manege van Eline
- tien usb-sticks
- tortillachips met salsa
- een eigen kamer
- nieuwe rugzak
- de hoofdrol in de afscheidsmusical
- een erge ziekte voor M.
- geld, heel veel geld
- nog meer oordopjes

zondag 27 mei (Pinksteren)

Anti-Bill Gates

Sorry dat jullie al even niks van me gehoord hebben. Het is buiten mijn schuld om, tenminste, het was niet mijn bedoeling het zover te laten komen.
Ik zit nu achter de computer van Milan. En waarom? Mijn eigen digitale wonder is er na het downloaden van de nieuwste versie van Windows mee opgehouden. Blijkbaar houdt Bill Gates ook de illegaliteit in de gaten en steekt hij er een stokje voor door alles te verzieken. Ik haat spionerende bots!

zaterdag 2 juni

Anti-depressivum
Ik woon weer bij mijn moeder. Hoewel ... moeder? Kun je zo'n zombie die het midden tussen een zitzak en een slaapzak houdt, wel een moeder noemen?
Ze wilde dat ik weer thuis kwam wonen en je weet: het was Manolito en Sonja eruit of ik. Maar ze deed ook haar eigen waarnemingen – ze is niet helemaal blond – en had nu geconstateerd dat haar relatie met Manolito niet gezond was, niet voor haar en niet voor mij. Haar kaalgeplukte bankrekening was de druppel.
Gisteren ben ik weer verhuisd.

Maar ook al zijn Manolito en zijn verwende dochter de deur uit geknikkerd, het lijkt mijn moeder geen goed gedaan te hebben. Ze gaat niet naar haar werk. Ze werkt bij de thuiszorg. Ik snap dat ze niet gaat werken, want ze heeft op dit moment zelf thuiszorg nodig. Die thuiszorg ben ik.
Ze eet amper. Alleen als ik haar wat uit de friteuse voorschotel, proeft ze ervan. 'Maar jongen,' zegt ze elke keer, 'wat heb je dat knap gedaan. En dat voor een jongen die nog geen dertien is. Van wie heb je toch zo goed leren koken?' Maar als ik eerlijk antwoord geef ('Van mijn vader natuurlijk'), zwijgt ze daarna weer urenlang.
Ze zegt dat het van de medicijnen komt, van haar anti-

depressivum, wat zoiets betekent als anti-dip. Ik ben ook anti-dip, maar ik ben anti-anti-depressivum. Volgens mij wordt ze van die pillen alleen maar suffer. En ze is nu zo'n zombie die van voor niet meer weet dat ze van achteren leeft. Je kunt zeggen dat mijn moeder uit haar dip is, maar eerlijker is het om te zeggen dat ze uitgeblust is, verdoofd, versuft en met haar gedachten ergens anders.

Maar ieder nadeel heb zijn voordeel. Ik was toch al anti-groente (veel te gezond). Dit is tegenwoordig mijn weekmenu:

maandag
Frietje oorlog
Toe: roomyoghurt
dinsdag
Pizza
Toe: walnotenijs met chocoladesaus
woensdag
Hamburger
Toe: dubbelvla met slagroom
donderdag
Tosti's
Toe: kant-en-klare fruitsalade (jaja, ik weet het, dat is eigenlijk te gezond)
vrijdag
Broodje knakworst en noedelsoep
Toe: chipolatapudding

zaterdag
Broodje shoarma
Toe: poffertjes
zondag
Friet met kroket of frikadel
Toe: baklava

Reactie
Ik zou een uithangbord buiten hangen met daarop: Michiels snackbar. Leuke bijverdienste!
Mayo

dinsdag 12 juni

Anti-emancipatie
Vrouwen zijn gewoon beter in het huishouden. Nou ja, behalve mijn moeder dan (tijdelijk hoop ik). Eline is hier geweest en ze heeft me geholpen met wassen, poetsen en boenen. Ik bedoel, ik heb háár geholpen. Wat ik in één middagje geleerd heb, is niet te geloven. Ik weet nu hoe de vaatwasser werkt. Ik weet waar je oud papier laat en waar de glasbak is. Ik wist vanmiddag nog hoe je de wc moet schoonmaken, maar dat ben ik snel vergeten. Dat laat ik graag aan een ander over. Blèh. Ik weet hoe je de stofzuigerzak vervangt en de wastafels ontkalkt. Ik weet zelfs hoe de wasmachine en de droger werken. Maar toch, vrouwen zijn er gewoon beter in en mijn hobby is het niet. Ik ben tegen emancipatie. Ik word later gewoon een antiheld, dan mag Eline thuis voor de kinderen zorgen.

Reactie
Je hebt het nog niet helemaal begrepen, Michiel. Ik hielp je om het je zelf te leren. En ik dacht dat jij helemaal geen kinderen wilde?

dinsdag 19 juni

Anti-ettertje (slot)
Alsof ik nog niet genoeg ellende in mijn leven heb. Alsof ik zelf geen slachtoffer ben van gefrustreerde ouders, de tijd, de liefde, het pre-puberschap, school, het hele leven, maar vooral van Ettertje, ben ik nu aangeklaagd voor cyberpesten.
Je snapt wel door wie.
We moesten allebei bij meester Pjotr komen. Meester Pjotr is een ongelooflijke digibeet. Je snapt niet dat zo iemand kan overleven. Maar goed, hij kent mijn weblog niet en is blindelings afgegaan op wat Ettertje hem vertelde.
'Ik heb nooit iemands naam genoemd,' zei ik. 'Ettertje, dat kan iedereen zijn tenslotte.'

‘Nee,’ zei Ettertje, ‘ik ben Ettertje.’
‘Als jij dat zegt,’ zei ik.
‘Nee, jij bent een nieuwe in de klas Ettertje gaan noemen,’ zei Ettertje. ‘Dat ben ik dus.’
‘Als jij dat zegt,’ zei ik.
‘Nee, dat zei jij! Kijk maar bij 19 maart.’
Dat vond meester Pjotr een goed idee. Dus zo gezegd, zo gedaan.
Computer gestart, mijn weblog geopend, wilde meester Pjotr ineens alles lezen. Wij moesten ondertussen de prullenbakken in alle lokalen gaan leegmaken. Ik in de onderbouw, Ettertje in de bovenbouw.
Pas na drie kwartier was meester Pjotr klaar met lezen. Wat leest die man langzaam. Zou hij dyslectisch zijn?
Zijn oordeel luidde zo:
- Ettertje krijgt een andere plaats.
- Ik mag nooit meer over Ettertje spreken op mijn weblog. Deze blog is dus de laatste keer om het af te leren.

vrijdag 22 juni

Anti-therapie
Help! Ik heb zin om dat anti-depressivum weer door mijn moeders muesli of kruidenthee te doen. Ze is in behandeling bij een psychotherapeut, moest stoppen met die medicijnen en heeft een stap-voor-stap-op-knap-programma meegekregen. Blij in dertig stappen. Ik moet meedoen. Ik kan ook best wat vrolijker worden, vindt ze.
Maar of ik hier vrolijker van word?

Stap 1 begon met schoon schip maken. We moesten alle dingen opruimen die rondslingerden in huis. En dingen die we al tijden wilden doen, moesten we nu eindelijk eens gaan uitvoeren. We mochten ook besluiten die slepende dingen dan maar helemaal nooit te doen. Dat was ook een vorm van schoon schip, want dan 'zat' je er niet meer mee, zei mijn moeder.
Zij ging driftig in de weer met onbetaalde rekeningen, een brief schrijven aan Manolito, haar klerenkast uitmesten. Ik voelde in alle gevallen meer voor besluiten het nooit te doen. Ik vind de rommel in mijn kamer nou eenmaal gezellig en heb er nooit last van gehad. Alleen over zoenen twijfel ik nog. Zal ik wel of zal ik niet? Zal ik besluiten mijn eerste zoen te geven op het afscheidsfeest van de basisschool? Dat is toch ook schoon schip

maken? Mijn moeder was het wat mijn kamer betreft natuurlijk niet met mij eens. Maar toen ik haar zei dat ze zich met haar eigen schone schip moest bemoeien en dat niet ík last heb van een depressie, maar zíj, is ze overstag gegaan.

Stap 2 was een lijstje maken van dingen die we wilden veranderen in ons leven. Het ging over werk, liefde, familie, vriendschap, vrije tijd en gezondheid. Helaas ben ik er niet achter gekomen wat mijn moeder wilde veranderen. Laat me raden? Ze wil een nieuwe vriend, een zoon met een schoon schip en de staatsloterij winnen. Ik vond dit een tamelijk eenvoudige stap. Ja, ik wil álles veranderen.

Stap 3 was jezelf mooi maken. Dat was nog eens een geweldige stap. Ik heb mijn moeder zover gekregen dat ik net zoveel geld kreeg als zij uitgaf aan de kapper, de schoonheidsspecialiste, de sauna en de pedicure. Ik ben een spijkerbroek, een zwembroek, een paar gympen, drie T-shirts, vijf boxershorts, een jack, een sweatshirt en vier paar sokken rijker.

Schrijf het van je af, was stap 4. Gooi alles eruit waar je boos, verdrietig en gekwetst over bent, was de opdracht. Heb ik natuurlijk niet nodig. Ik heb dat hele stappenplan trouwens niet nodig, maar ik heb de opdracht toch gedaan en dit is wat ik van me afgeschreven heb:
Ik doe niet meer mee! Ik ben anti-therapie.

Ik vind dat mijn moeder oud genoeg is om haar eigen therapie te volgen.

zaterdag 23 juni

Anti-geld (1)

Ik had een romantisch idee. Zoenen is vast leuk, maar liefde is meer dan dat. Ik wilde Eline mee uit nemen naar de film, naar de Döner Kebab Shop, naar het zwembad, naar ... niks dus. Heb ik net een goed plan, is al mijn geld op.

Ik háát geld.

Ja, ik weet dat het niet vies is, en toch ben ik er vies van. Zonder geld waren er geen dieven, was er geen verschil tussen rijk en arm, hoefde je geen uren in de rij voor de kassa te staan. Zonder geld was de wereld het aardse paradijs. Helaas ben ik de enige die dat inziet.

Ik zag drie oplossingen voor mijn geldprobleem:

1. Terug naar de ruilhandel: voor wat hoort wat.
2. Creatief met niks: op zoek naar gratis uitstapjes.
3. Creatief met geld: rijk worden in dertig stappen. Misschien ook iets voor mijn moeder?

Mij leek de ruilhandel een goede start. Ik begon mijn ruilhandeltje met mijn moeder. Ik bofte dat ze net bij stap acht van haar therapeutisch blij-in-dertig-stappen-programma was. Stap acht houdt in: *Zeg ja! Zeg 'ja' tegen het leven. Zeg 'ja' tegen onverwachte voorstellen. Zeg 'ja' tegen het nieuwe en onbekende.*

We kwamen tot de volgende deals:
– Ik deed de afwas in de machine, mijn moeder maakte mijn huiswerk. Leuk, maar de uitvoering van mijn romantische idee kwam hierdoor niet dichterbij.
– Ik bakte friet, zij plakte mijn band.
– Ik ruimde mijn kamer op, zij gaf mij haar tv. Dat was overigens ook in het kader van haar stappenplan. Ze moest van haar tv-verslaving af. Dat ik daar nu misschien last van ga krijgen, doet er even niet toe.
– Ik deed een boodschap, zij gaf mij een stapel boeken.
Met die boeken ben ik naar de tweedehandsboekwinkel gegaan. Ik heb ze geruild tegen de grote encyclopedie van de popmuziek. Die encyclopedie heb ik met Milan geruild tegen een Afrikaanse trommel. Die trommel heb ik met Stefan geruild tegen een gitaar. Die gitaar ruilde ik met mijn vader tegen een tv. Die tv ruilde ik met mijn eigen tv en die ruilde ik met Sophie tegen een mobieltje. Dat mobieltje bleek het niet te doen, maar Sophie wilde niet terugruilen.
Ruilhandel mislukt.

Reactie
Van ruilen komt huilen. Wist je dat niet? Na-na-na-na-na.
Sophie

maandag 25 juni

Nieuwsselectie

Onderbroekenlol

Een 33-jarige vrouw miste in een restaurant in Den Haag ineens haar tas. Snel vroeg ze haar vriendin het nummer van haar mobiel te bellen. En ja hoor, in de onderbroek van een van de andere gasten ging de telefoon af. De betreffende man was zojuist naar het toilet geweest.

Tegen telefoongerinkel in je onderbroek kan geen enkel darmgeluid op. [Michiel]

Wormen

Scholieren in de Italiaanse stad Bologna hebben gisteren duizenden wormen losgelaten op school. De wormen hebben zich zo snel verspreid door de school, dat de leerlingen tot nader order thuis mogen blijven. Onlangs zetten leerlingen in Milaan hun school onder water om onder een proefwerk uit te komen.

Zouden het boekenwormen geweest zijn? [Michiel]

Mus

Nederlands beroemdste mus wordt tentoongesteld in het Natuurmuseum in Rotterdam. De mus dankt zijn bekendheid aan het vroegtijdig omgooien van 23.000 dominostenen tijdens de voorbereidingen voor een recordpoging. De mus werd doodgeschoten om erger te voorkomen. Dat leidde tot landelijke protesten.

Dat museum is dus blij met een dooie mus. [Michiel]

Chocola

Elke dag een beetje chocola eten verlaagt de bloeddruk en verkleint bij oudere mannen de kans om dood te gaan aan hart- en vaatziekten.

Nu wil ik nóg liever ouder zijn. [Michiel]

Breinpil

Een speciale breinpil, Cebrium genaamd, moet zorgen voor een beter geheugen. Wie iedere dag Cebrium slikt, merkt na vier weken resultaat.

Goede tip voor aanstaande brugpiepers. Zouden ze die ook in die winkel voor mensen met een geheugenstoornis verkopen? [Michiel]

Vader

Een jonge moeder heeft in Zuid-Tirol van dertien mogelijke vaders van haar kind geëist dat ze een DNA-test ondergaan. Onder de kanshebbers zijn plaatselijke politici en ondernemers, evenals het halve voetbalelftal uit het dorp.

Ik zei toch dat dertien ongeluk brengt. [Michiel]

Fraude
De 46-jarige Manolito M. is gisternacht van zijn bed gelicht op verdenking van fraude. Manolito M. had een vastgoedonderneming en wel 45 bv's. Zijn gehele boekhouding is in beslag genomen.

Yes! [Michiel]

donderdag 28 juni

Anti-geld (2)

Gratis uitstapjes en andere leuke dingen om te doen:

- Wandeling naar het Pluisjesmeer en aansluitend lekker zwemmen
- Fietstocht naar het Duisterwoud en aansluitend een picknick
- Zelfuitgestippelde speurtocht met als hoofdprijs een zoen van Michiel
- Bezoekje aan de kinderboerderij
- Op excursie naar de brandweer / politie /gemeentehuis / dierenasiel / dierenarts / kunstenaar / restaurant / koekjesfabriek / theater / garage / treinstation onder het mom van een spreekbeurt
- Een spel doen (alles behalve Monopoly)
- Elkaars portret tekenen en dan urenlang in elkaars ogen kijken
- Thuis een kinderkookcafé organiseren, en dan een taart bakken in de vorm van een hart
- Een boek voorlezen, liefst over de liefde voor de juiste sfeer

Reactie

Ik vind alles wel leuk, maar als ik mag kiezen, ga ik voor de speurtocht. En de zoen natuurlijk!

Eline

vrijdag 29 juni

Anti-geld (3)
Het komt allemaal door dat stomme geld. Nu moet ik een speurtocht uitzetten met als hoofdprijs ... Ja, lach maar.
Optie 3 – creatief met geld, rijk in dertig stappen – laat ik daarom nog maar even voor wat het is. Dat past ook niet bij iemand die anti-geld is. Het is speurtochtentijd. Zoek Michiel, dat lijkt me de beste insteek. Wat zal ik Eline voor aanwijzingen geven? Ik denk dat ik de speurtocht uitzet op de eerste dag van de grote vakantie, op 16 juli. En die speurtocht wordt dan ófwel een afscheid forever – Eline gaat naar een andere middelbare school – óf het wordt liefde forever.
Een speurtocht uitzetten is het omgekeerde werk van wat een detective doet. En daar weet ik alles van. Nu moet ik alleen expres een spoor achterlaten. Niet te makkelijk – een eerste zoen is niet niks – en niet te moeilijk – dan komt er helemaal geen eerste zoen. Maar het is duidelijk dat ik over dit onderwerp voor 16 juli niets meer schrijf op deze weblog.
Het is voorlopig top secret.

maandag 2 juli

Anti-virus, anti-verpakking, anti-schaar, anti-antiek, anti-therapie, anti-schoenen-uit-in-huis, anti-bezorgde-moeders

Deze titel hoef ik niet uit te leggen.
Jaha, het was weer eens zover. Mijn computer down door een virus én die van mijn moeder ook. We hebben een netwerkje in huis. Dat wil zeggen: hádden.
Mijn moeder kwaad. Dat hoort ook bij het stappenplan van haar therapie: krop niets op. Alsof ik dat virus ontworpen had ...
Maar goed, nu wilde ze een usb-stick; kon ze daarop het belangrijkste opslaan voor als zich weer eens zo'n crash voordoet. Heb ik er eentje voor haar gekocht, zit dat ding in zo'n hardplastic verpakking. Niet ópen te krijgen. Ik duw met geweld een schaar tussen de twee helften, schiet die schaar uit en eindigt met de punt naar beneden in het antieke bureau dat nog van mijn overgrootvader is geweest.
Ik háát scharen en ga vanaf nu ook niet meer naar de kapper. Ik kan je vertellen dat het deze keer nog duidelijker was wat mijn moeder geleerd had van haar stappenplan. Ik vluchtte naar mijn kamer, omdat ik het zonder mijn oordopjes vast niet zou overleven in haar nabijheid. Ik had braaf mijn schoenen uitgedaan, maar sokken, een gladde trap en haast zijn geen goede combi.

Je slooft het niet, maar nu begon mijn moeder nog harder te schreeuwen. Uit bezorgdheid, zei ze. 'De trap is nog heel, hoor,' stelde ik haar gerust na míjn crash. Denk niet dat dat mijn moeder hielp te kalmeren. Misschien had ik haar toch liever toen ze nog aan die pillen was.

dinsdag 3 juli

Anti-druk, druk, druk

Wie denkt dat alleen managers en overbezorgde moeders met liefdesverdriet last hebben van stress, heeft het mis. Ook jongeren van bijna dertien gaan zwaar gebukt onder een overvol programma. Neem mij nou:

- Repeteren voor de afscheidsmusical
- De nieuwe route naar de middelbare school oefenen
- Bedenken welke stijl je wilt uitstralen als brugpieper
- Een speurtocht uitzetten en droogzwemmen met zoenen
- Eén keer per week oppassen op de tweede leg van je vader
- Je weblog schrijven
- Eén keer per week koken én de boodschappen doen (hoort bij mijn moeders stappenplan: delegeer!)
- Tussen zes en acht 's avonds msn'en
- Je favoriete televisiesoaps volgen
- Snode plannen bedenken voor hij-wiens-naam-ik-niet-mag-noemen-in-het-openbaar
- Elke dag opdrukken en gewichtheffen
- Tussendoor lieve sms'jes voor Eline bedenken en daarna versturen
- Het nieuws bijhouden

Ik kan nog een hele tijd zo doorgaan, maar daarvoor ontbreekt me de tijd. Ik heb het druk, druk, druk. Net als iedereen. En hoe dat kan, is me een raadsel.
Mensen leven steeds sneller. Dan zou je toch tijd over moeten houden?
We reizen sneller. De eerste trein reed vroeger met een vaartje van 25 kilometer per uur. Dat vonden ze toen al zó snel dat ze dachten dat je hersenen ervan zouden beschadigen.
Als je vroeger een brief schreef en naar het buitenland stuurde, dan was die soms weken onderweg. Nu kost e-mailen géén tijd. Nou ja, behalve voor managers dan. Die krijgen er gemiddeld honderd per dag. Ja, dan ben je wel even zoet. De mobiele telefoon doet er natuurlijk ook geen goed aan. Zie jij nog wel eens iemand stil over straat lopen? Nee toch zeker. Iedereen belt tijdens het lopen of fietsen. En dan sms'jes. In China werden er in één maand 15 miljard verstuurd. Het is echt raar. Mensen werken minder, hebben overal apparaten voor en toch hebben ze het drukker dan ooit.
Vroeger hadden kinderen geen huiswerk, geen tv, geen computer en geen sportclubs. Ze trapten gewoon een balletje op straat. Vroeger verveelden kinderen zich. En dat lijkt me nou zo heerlijk. Je vervelen, niet weten wat je moet doen en ook gewoon helemaal niets te doen hebben en niets moeten. Als ik één wens heb, is het me eens ongelooflijk vervelen.

zondag 8 juli

Anti-tijd
Nooit geweten dat wensen zó snel in vervulling kunnen gaan.
Vrijdag was de afscheidsmusical van onze groep. Ik was geheim agent 0013 – een rol die me op het lijf geschreven is – en liep met mijn neus op tien centimeter afstand van de rand van het podium door een vergrootglas naar sporen te zoeken. Ik stootte ergens tegenaan, struikelde en donderde vlak voor het publiek op de grond. Wie denk je dat er naast me stond om me te helpen? Ja, hij-wiens-naam-ik-niet-mag-noemen-in-het-openbaar.
Het doet me denken aan brandstichters die zelf altijd vooraanstaan bij de bluswerkzaamheden.
Mijn teen is gebroken, mijn voet zit in het gips en ik moet een tijdje met mijn been omhoog.
Ik noem geen namen, want dat is verboden. En ik ben brááf! Maar ik durf er een andere teen om te verwedden wie me heeft laten struikelen.
Dit is nou niet direct de meest ideale manier om tot rust en verveling te komen. Ik snap niks van tijd. Hij vliegt voorbij, maar als je tijd in overvloed hebt, dan is tijd je vijand. Hij kruipt irritant langzaam voort. Elke minuut lijkt een uur te duren. Misschien is tijd in overvloed hebben en je vervelen vooral leuk als je géén voet in het gips hebt.

En wat écht erg is, is dat mijn teen zo jeukt. Zo erg dat ik naar een tenenlikker begin te verlangen.

Het enige voordeel is dat ik alle tijd heb om mijn speurtocht uit te werken. Die is de zestiende al! Goh, wat zal Eline mij moeilijk kunnen vinden.

woensdag 11 juli

Pro-video

Als de scheidsrechter bij voetbal een overtreding niet ziet, gaat de dader vrijuit. Ook al is op de videobeelden later precies te zien wat er gebeurd is. Gelukkig gaat dat op school anders.

Hij-wiens-naam-ik-niet-mag-noemen-in-het-openbaar is betrapt. De ontmaskering heb ik aan Eline te danken.

De musical is met twee camera's opgenomen. Bij het afspelen heeft Eline extra goed opgelet. 'Stop!' had ze geroepen vlak voor ik mijn landing in het publiek zou maken. 'Herhaling!' commandeerde ze. En ja hoor. Het was duidelijk te zien dat hij-wiens-naam-ik-niet-mag-noemen-in-het-openbaar mij een zetje gaf. Waarschijnlijk was het niet zijn bedoeling dat ik van het podium zou vallen en mijn teen zou breken. Maar toch, E. mag blij zijn dat het nog maar twee dagen duurt voor de grote vakantie begint. Hij heeft zich ziek gemeld tot het eind van het schooljaar. Verstandig, want op deze school heeft hij het voor eeuwig verpest.

En hoe het met mij is? In één woord: geweldig.

Ik sta in het middelpunt van de belangstelling. De verveling is voorbij, want er zitten continu minstens vier klasgenoten bij me om me te vermaken.

Mijn moeder is gestopt met haar stappenplan. Hopelijk komt dat niet doordat ze weer verliefd is, maar voorlopig is ze bijzonder goed te genieten en slooft ze zich echt uit voor me.
En lest best: ik heb nog nooit van mijn leven zoveel cadeautjes gehad. Wat ik gekregen heb:
- 1,5 kilo chocola
- 2 kilo drop
- een abonnement op Power Unlimited
- drie keer paardrijles op de manege van Eline
- 16 flessen vruchtensap
- 7 videobanden, waaronder die van onze musical
- 5 games
- 12 muziek-cd's
- geld, maar ik zeg lekker niet hoeveel
- alle boeken van Harry Potter op luister-cd
- 13 scheurblokken met sudoku's
- een nieuw hoesje voor mijn mobiel
- een usb-stick
- een tienrittenkaart voor de fitness
- 8 zakken tortillachips met salsa
- een nieuwe rugzak
- oordopjes
- gympen in vier maten op de groei

vrijdag 13 juli

Anti-bijgeloof

Natuurlijk is dertien een ongeluksgetal, maar dat wil niet zeggen dat je per se ongeluk krijgt op een dag als vandaag. Ik heb mijn portie ongeluk trouwens wel gehad. Voor ongeluk is simpelweg altijd een heel goede verklaring. Voor die bungeejumper, voor die moeder met dertien mogelijke vaders van haar kind, en ook voor mijn eigen ongeluk, al was de musical op een vrijdag en was ik geheim agent 0013.

Maar omdat ik vandaag toch niets te doen had, ben ik eens gaan googelen naar bijgeloof.

<u>Afkloppen</u>

Als je een te optimistische uitspraak afklopt op onbewerkt hout, voorkom je ongeluk.

Vroeger geloofden mensen dat de goden in bomen leefden. Als je een gunst wilde, klopte je op hout; dan zouden de goden je wel helpen.

Ja, er leeft van alles in bomen, maar goden? Nee, sorry.

<u>Gebroken spiegel</u>

Als je een spiegel breekt, krijg je zeven jaar ongeluk.

Vroeger geloofden mensen dat je in een spiegel je ziel zag. Brak je een spiegel, dan brak je je ziel. Het duurde zeven jaar voor die weer op orde was. Logisch dat vam-

piers geen spiegelbeeld hebben, in verhalen tenminste.
Onzin natuurlijk. Je spiegelbeeld is niets anders dan gereflecteerd licht.

Vrijdag de dertiende

Op vrijdag de dertiende gebeuren de verschrikkelijkste dingen.

In allerlei mythen en sprookjes wordt een feestje voor twaalf goden of feeën of apostelen bedorven door een slechte dertiende. Daardoor werd dertien een ongeluksgetal. Dat vrijdag oppassen geblazen is, komt door Goede Vrijdag, vlak voor Pasen.

Kletskoek, want het getal dertien is bij de Chinezen juist een geluksgetal. Ook mijn moeder heeft nooit problemen met een dertiende maand, trouwens. Dat betekent extra geld!

Ladder

Als je onder een ladder door loopt, krijg je ongeluk.

Vroeger geloofden mensen dat de driehoek heilig was. Een ladder vormt met de grond en de muur een driehoek. Een heilige driehoek mag je natuurlijk niet doorbreken.

Jammer dan, maar een driehoek is niet heilig. Het zijn gewoon drie punten die door lijnen verbonden zijn. Toch loop ik liever niet onder een ladder door, zeker niet als er een schilder bezig is.

Niezen
Als iemand niest, moet je hem gezondheid wensen.
Vroeger dachten de mensen dat je ziel even uit je lichaam schoot bij een nies. Een lichaam zonder ziel is gevaarlijk. Voor je het weet, kruipt er een enge geest op de lege plek. Gelukkig houden geesten niet van een goede wens, zoals 'gezondheid'.
Ik geloof sowieso niet in een ziel, laat staan dat je die kunt uitniezen.

Verder heb ik de gekste dingen gelezen. Als je jeuk aan je rechterenkel hebt, dan krijg je geld. (Klopt in mijn geval.) En wie een lege wieg laat schommelen, krijgt er binnen een jaar een baby bij. (Dat doe ik nooit bij mijn vader.) Met een eikeltje op zak, blijf je er altijd jong uitzien. (Als een eikel, lijkt me.) Overigens heb ik ook iets leuks over de liefde opgeduikeld. Als een meisje in de schoen van een jongen plast, wordt hij verliefd op haar. (Zou dat Elines tovermiddel geweest zijn en heeft ze dat tijdens de gymles gedaan? Waren het niet mijn zweetvoeten, maar ...)

maandag 16 juli

Anti-vakantiedump

Vandaag was dé dag aangebroken. Eline zou de test doen en zich wagen aan mijn speurtocht. Ik heb sinds zaterdag krukken en kon me dus in principe overal verstopt hebben.

Ik had de speurtocht interactief gemaakt. 's Morgens om elf uur stuurde ik haar het eerste sms'je.

Ga naar de Suikerbuik en sms mij daar voor een opdracht.

Na tien minuten piepte mijn mobiel al.

Ik ben maar op de fiets gegaan, is wel zo snel. Wat nu?

Ik tikte snel een opdracht in.

Vraag één suikerhartje met daarop 'Ik hou van jou' en ga vervolgens door naar café 'Het Stokpaardje'.

Alweer na amper tien minuten kwam er een sms'je binnen. *Roept u maar!* Ik kreeg het er een beetje benauwd van. Mijn eerste zoen kwam in rap tempo dichterbij.

Ik had mijn opdracht al klaar.

Zoek in het café een boomerangkaart met het thema liefde en ga dan naar de bibliotheek.

Tijd om naar mijn uiteindelijke vindplaats te vertrekken. Echt ver was het niet. Ik was van plan naar de Albert Heijn te hinkelen. Op het bankje op het plein zou ik vermomd op Eline wachten. Als het haar tenminste zou lukken de speurtocht af te maken.

Een sms'je.
En nu?
Ik tikte snel in: *Zoek een leuk boek over zoenen en schrijf daar de beste zoentip uit over. Ga daarna naar het winkelcentrum en zoek op het plein bij de Albert Heijn.*
Tijd voor mijn vermomming, zeker bij dat racetempo van Eline. Nu kon ik eindelijk mijn kerstcadeau eens gebruiken. Warm was die rode muts met dat randje nepbont wel. Of zou het door de spanning komen?

Ze was er sneller dan de wind. Ze had alle opdrachten goed uitgevoerd. Er zat maar één ding op. Nee, dit is niet geschikt voor publicatie.
....
....
....
Ik kan er ook maar één ding over zeggen: het is voor herhaling vatbaar.

En waarom deze blog 'Anti-vakantiedump' heet? Nogal logisch. Ik ben daar hartstikke op tegen. En Eline gelukkig ook!

Anke Kranendonk
Dubbel verliefd

Amelie:
We waren op zeilvakantie in Friesland. Er was daar een heel leuke jongen, Joram, op wie ik direct verliefd werd. Na drie dagen hadden we verkering. Maar toen kwam de neef van Joram op bezoek …

Joram:
We waren op zeilvakantie in Friesland. Er was daar een heel leuk meisje: Amelie. Op een avond stond ik met haar te zoenen. De volgende dag zaten we verliefd samen in de boot. Maar toen kwam mijn neef logeren ...

Lees in dit boek alles over de verliefdheid van Amelie en Joram.

Met tekeningen van Joyce van Oorschot

Arend van Dam
Gebakken juf met kiwisaus

De komst van een nieuwe juffrouw gooit alles overhoop in de klas van Morrie, Paul en Fenton, drie Maori-jongens in Nieuw-Zeeland. De jongens komen in actie: juffrouw Kingsbury moet verdwijnen. Froukje, een Nederlands meisje dat sinds kort in Nieuw-Zeeland woont, helpt hen. Maar het resultaat is dat ze zelf van school worden geschorst. Brownie, een Maori-leider, helpt Froukje en de jongens met het ontdekken van hun wortels. Samen gaan ze op survivaltocht. Door de avonturen die ze beleven, gaan de jongens langzaam begrijpen wat het betekent om een Maori te zijn.

Met tekeningen van René Pullens

Femke Dekker
Vlinders droom

'Spinnen,' snikte Lang. 'Zo groot als ik, met afschuwelijke, harige poten.'
Vlinder keek hem geschokt aan. Ze wist hoe bang Lang was voor spinnen.
'Maar je zou toch rijk en beroemd zijn?' vroeg ze.
Lang antwoordde niet.
'De oplichter,' siste Vlinder.

Op de jaarmarkt koopt Lang voor zichzelf een geweldige droom. Voor Vlinder koopt hij er ook een, tegen haar zin. De volgende ochtend blijkt dat Langs droom een nachtmerrie is. Gewapend met hun dromen gaan Vlinder en Lang op zoek naar de dromenverkoper. Pas in zijn kasteel ontdekken ze waarom Langs droom een nachtmerrie was. Maar dan is het te laat. Of biedt Vlinders droom een uitweg?

Met tekeningen van Wim Euverman

Anti-
Partij